Lumière sur les chauves-souris

L'autobus magique

ROMAN DE SCIENCE

N° 1

Lumière sur les chauves-souris

Les éditions Scholastic

Texte : Eva Moore

Illustrations : Ted Enik

Adaptation française : Le Groupe Syntagme inc.

D'après les livres de *L'Autobus magique* de Joanna Cole,
illustrés par Bruce Degen

Données de catalogage avant publication (Canada)

Moore, Eva
Lumière sur les chauves-souris

(L'autobus magique roman de science; #1)
Basé sur L'autobus magique livres écrits par Joanna Cole et
illustrés par Bruce Degen.
Traduction de : The truth about bats.

ISBN 0-439-98555-4

1. Chauves-souris – Ouvrages pour la jeunesse. I. Cole,
Joanna. II. Enik, Ted. III. Groupe Syntagme Inc. IV. Titre.
V. Collection : Autobus magique roman de science; #1.

QL737.C5M6614 2000   j599.4   C000-931525-X

Édition publiée par Les éditions Scholastic, 175 Hillmount Road,
Markham (Ontario)   L6C 1Z7.

SCHOLASTIC, L'AUTOBUS MAGIQUE, et les logos connexes sont des marques de
commerce ou des marques déposées de Scholastic Inc.

5 4 3 2 1   Imprimé au Canada   00 01 02 03 04 05

*Nous remercions de leurs conseils
Jacqueline J. Belwood, agente de recherche
à la Commission biologique de l'Ohio,
et
Dennis L. Krusac, spécialiste
des espèces menacées en voie de disparition
au Service forestier du département américain de l'Agriculture.*

INTRODUCTION

Je m'appelle Raphaël. Je suis l'un des élèves de la classe de Mme Friselis.

Vous avez peut-être entendu parler de Mme Friselis (nous l'appelons parfois Frisette). C'est une enseignante formidable, mais… étrange. Son sujet préféré est la science, et elle connaît *tout*.

Elle nous emmène souvent en excursion dans son autobus magique. Et croyez-moi, il porte bien son nom! Une fois à bord, nous ne savons jamais ce qui nous attend.

Mme Friselis aime nous surprendre, mais en général nous savons qu'elle nous prépare une leçon spéciale juste à sa façon de s'habiller.

Un jour, Mme Friselis s'est habillée comme cela. Et cette excursion a été toute une aventure! Laissez-moi vous raconter ce qui s'est passé.

CHAPITRE 1

— Souriez! dis-je en visant Thomas et Hélène-Marie.

Nous la surnommons HM! C'est plus court.

Clic!

— Qu'est-ce qui te prend, Raphaël? demande Thomas. C'est bien la dixième fois que tu prends ma photo cette semaine.

— J'aime prendre des photos, c'est tout, dis-je. Mon nouvel appareil-photo est super. C'est mon cadeau d'anniversaire préféré.

— Dépêchez-vous, les gars, dit HM. Nous allons être en retard à l'école.

Nous sommes presque rendus aux vacances d'été. Tout le monde est excité à l'idée de la prochaine excursion. Nous ne savons pas où nous allons, mais nous savons qu'avec Mme Friselis, ce sera exceptionnel!

Je retrouve Thomas et HM devant la porte de la classe. Les autres élèves sont déjà là. Pascale, Jérôme, Catherine, et quelques autres, semblent légèrement inquiets. Je comprends tout d'un coup pourquoi lorsque j'aperçois Frisette. Elle porte une robe couverte de chauves-souris!

— Bonjour, tout le monde! dit Mme Friselis. Asseyez-vous. J'ai une bonne nouvelle à vous annoncer.

— Je ne crois pas que je vais la trouver si bonne, chuchote Pascale à l'oreille de Catherine.

— Comme vous le savez, continue Frisette, il nous reste encore une excursion à faire avant les vacances. Et voici où... Elle se dirige vers le tableau, déroule une carte des États-Unis et pointe la Californie. « Le Parc national Yosemite! Des montagnes majestueuses, des chutes merveilleuses, des séquoias étonnants et, surtout, le rare et extraordinaire oreillard maculé! »

— L'idée est intéressante, dit Pascale, sauf pour les chauves-souris. Je ne les aime pas. Ce sont des oiseaux dégoûtants qui boivent notre sang.

— Mais non, Pascale! dit Mme Friselis. Consulte ta fiche sur les chauves-souris.

— Mme Friselis a raison, dit HM. Tout d'abord, les chauves-souris ne sont pas des oiseaux. Ce sont des mammifères comme les chiens, les chats et les humains. Ce sont les seuls mammifères qui peuvent voler. C'est super!

— Oui, ajoute Kisha. Et elles ne boivent pas le sang des gens. Ce n'est qu'un mythe.

— Les chauves-souris vampires *boivent effectivement* du sang, mais seulement celui des bœufs et des chevaux, pas celui des humains, ajoute HM. Et elles ne sucent pas vraiment le sang, elles font une entaille dans la peau et avalent quelques gouttes.

— De toute façon, nous ne risquons pas de rencontrer de chauves-souris vampires en Californie, souligne Thomas. La plupart vivent en Amérique centrale et en Amérique du Sud, pas aux États-Unis. De plus, elles ne sont qu'une variété de chauves-souris.

— Ah! s'exclame Mme Friselis. Tu marques un point, Thomas.

À fourrure et à plumes
par Hélène-Marie

Les mammifères sont des animaux à fourrure. Leurs petits ne naissent pas dans des œufs et se nourrissent du lait de leur mère.

Les oiseaux sont des animaux à plumes. Ils pondent des œufs et les gardent au chaud jusqu'à éclosion.

Mme Friselis insère un disque dans l'ordinateur
et appuie sur quelques touches. Une chauve-souris
avec de grandes oreilles roses et une fourrure
tachetée de noir et de blanc apparaît à l'écran.

— Voici l'oreillard maculé! Ces chauves-souris
vivent dans la partie ouest de l'Amérique du Nord.
Le parc Yosemite est l'un des rares endroits où l'on
peut en apercevoir en Californie.

— Regardez, dit Carlos! Avec ses oreilles roses,
elle ressemble à un lapin.

— Je croyais que toutes les chauves-souris
étaient noires, dit Catherine.

— Certaines sont noires, d'autres, brunes ou cendrées, rousses, argentées ou tachetées, ajoute Frisette. L'oreillard maculé a été baptisé ainsi à cause des trois petites taches blanches qui ornent son pelage.

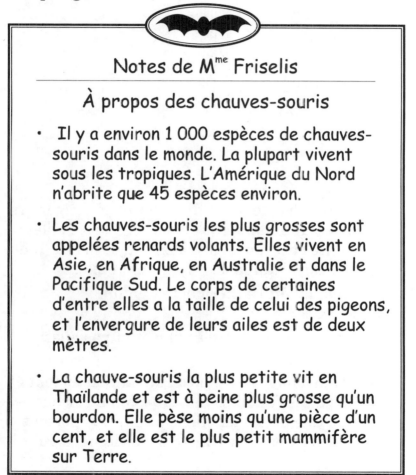

Notes de Mme Friselis

À propos des chauves-souris

- Il y a environ 1 000 espèces de chauves-souris dans le monde. La plupart vivent sous les tropiques. L'Amérique du Nord n'abrite que 45 espèces environ.

- Les chauves-souris les plus grosses sont appelées renards volants. Elles vivent en Asie, en Afrique, en Australie et dans le Pacifique Sud. Le corps de certaines d'entre elles a la taille de celui des pigeons, et l'envergure de leurs ailes est de deux mètres.

- La chauve-souris la plus petite vit en Thaïlande et est à peine plus grosse qu'un bourdon. Elle pèse moins qu'une pièce d'un cent, et elle est le plus petit mammifère sur Terre.

— On trouve diverses espèces de chauves-souris en divers endroits du monde, ajoute Mme Friselis.

Mme Friselis éteint l'ordinateur et se dirige vers la porte. « J'ai communiqué avec les responsables de Yosemite et ils nous attendent aujourd'hui. Tout le monde dans l'autobus! » s'exclame-t-elle.

— Oh là là! dit Catherine. Les ennuis commencent!

— À mon ancienne école, on n'était pas aussi timbré, dit Pascale.

Nous suivons Frisette jusqu'au stationnement et grimpons dans l'autobus magique. Mme Friselis porte une casquette semblable à celle que portent les pilotes d'avion. Elle s'installe sur le siège du conducteur et appuie sur quelques boutons du tableau de bord.

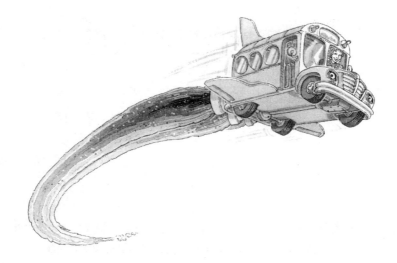

Aussitôt, l'autobus accélère comme un avion à réaction. En fait, c'est un avion! La poussée me colle au dossier de mon siège. En un instant, nous sommes en vol.

En avant toute vers la Californie!

CHAPITRE 2

Très vite, notre autobus volant se retrouve au-dessus des nuages. Mme Friselis porte une incroyable combinaison ornée de chauves-souris aux oreilles roses, les fameux oreillards maculés de Yosemite. La plupart d'entre nous trouvons la balade très agréable. Mais Pascale se ronge les ongles et semble nerveuse.

Nous avons déjà étudié les chauves-souris, mais certains d'entre nous, sans l'avouer, en ont encore peur. Moi? Je les trouve amusantes, mais... de loin. J'aime cette façon qu'elles ont de s'accrocher la tête en bas, les ailes enroulées autour du corps. Pour les chauves-souris, l'envers, c'est l'endroit!

Pascale a de drôles d'idées sur les chauves-souris.

— Allez savoir comment une chauve-souris va réagir? J'ai entendu dire qu'une chauve-souris stupide et aveugle est venue s'emmêler dans les cheveux d'une femme qui marchait sur le trottoir en plein jour!

— C'est juste une histoire, dit Kisha en riant. Les chauves-souris ne sont pas aveugles. Elles voient bien, mais pour la plupart d'entre elles, la vue n'est pas aussi importante que les autres sens.

— Et il y a une autre bonne raison de croire que cette histoire est inventée, dit Jérôme. Dites-lui pourquoi, Madame Friselis.

— Les chauves-souris n'atterrissent pas accidentellement sur les objets, Pascale, dit Frisette. Elles ont un sonar qui les aide à se diriger même dans le noir.

— Je sais ce que c'est qu'un sonar, dit Catherine. Les chauves-souris produisent des bruits en volant et ces bruits sont des ultrasons, c'est-à-dire qu'ils sont trop aigus pour être captés par l'oreille humaine. Les sons rebondissent sur les objets alentour, peu importe leur taille, et les chauves-souris en captent l'écho. C'est pourquoi elles sont capables de chasser la nuit pour se nourrir.

— C'est bien cela! dit Mme Friselis. Il y a encore beaucoup de mythes sur les chauves-souris, soupire-t-elle. Les gens n'en savent guère plus qu'autrefois. Les chauves-souris sont tellement mystérieuses qu'on croit encore un grand nombre de ces mythes, même s'ils ne sont pas vrais.

> ### Qu'est-ce qu'un écho?
> #### par Catherine
>
> L'écho est la réflexion d'un son. La localisation est l'action de situer ou de trouver quelque chose. Donc, l'écholocation consiste à trouver quelque chose grâce à l'écho qu'il produit.

— Et n'oubliez pas que la plupart des chauves-souris sont des animaux nocturnes, dit Thomas. Elles s'endorment au moment où nous nous levons. Jamais une petite chauve-souris ne sortirait voler en plein jour.

— Ah oui? dit Pascale. Dans ce cas, comment allons-nous pouvoir observer ce fameux oreillard maculé?

Notes de Mme Friselis

Chauves-souris, baleines et dauphins : qu'ont-ils en commun?

La façon dont les chauves-souris utilisent les ultrasons pour localiser les objets qui les entourent s'appelle écholocation.

Les baleines et les dauphins sont deux autres espèces de mammifères qui utilisent l'écholocation. Leurs sons voyagent dans l'eau alors que ceux produits par les chauves-souris se propagent dans l'air.

— Devrons-nous veiller tard? demande Kisha.

— Bien sûr, Kisha, annonce Mme Friselis. Nous allons camper à la belle étoile. Nous serons ainsi aux premières loges.

— Oh! J'adore le camping! s'exclame Pascale en souriant, pour une fois.

Ce voyage a enfin un bon côté pour elle.

L'autobus volant émet tout à coup un signal sonore.

— C'est le détecteur de chauves-souris, explique Mme Friselis. Ça signifie que nous survolons une importante colonie de chauves-souris cavernicoles. C'est quelque chose à voir.

Mme Friselis appuie sur quelques boutons du tableau de bord. Nous entendons un bruit semblable à celui que font les pales d'un hélicoptère. Frisette a transformé notre jet en hélicoptère!

Elle pose l'hélico-bus sur un rocher plat.

— Voici vos trousses d'exploration, dit Mme Friselis, en remettant à chacun un paquet contenant un casque protecteur, une lampe de poche et une paire de bottes. Dépêchons-nous, s'exclame-t-elle, c'est le moment d'y aller!

Notes de Mme Friselis

La nuit sourit aux chauves-souris!

Pourquoi les chauves-souris sortent-elles la nuit?

1. Le jour, le soleil serait trop chaud pour leurs fines ailes, et elles perdraient beaucoup trop d'eau.

2. Il y a beaucoup d'insectes à manger, et très peu d'animaux nocturnes se nourrissent d'insectes (sauf quelques araignées). Pendant le jour, les chauves-souris devraient disputer leur nourriture avec les oiseaux.

3. Il y a moins de danger la nuit pour les chauves-souris. Il leur suffit d'éviter les chouettes et les serpents.

CHAPITRE 3

Tandis que nous grimpons dans la montagne, nous apercevons un grand trou noir.

— Super! s'écrie Thomas. Allons voir ce qu'il y a à l'intérieur.

— Je vous attends ici, déclare Pascale. Il n'est pas question que j'entre là-dedans.

— Je reste avec toi, s'écrient en chœur Jérôme et Catherine.

— Allons, dit Kisha, nous avons des lampes de poche et nous serons ensemble. Il n'y a aucune raison d'avoir peur.

— Sauf avoir peur des chauves-souris mangeuses d'hommes! s'exclame Pascale.

— Ouais! dit Jérôme à Kisha. Pourquoi n'y allez-vous pas, vous? Et vous nous raconterez ensuite, si vous revenez vivants.

17

Mme Friselis coiffe son casque muni d'une lampe frontale. « Suivez-moi et restez calmes », dit-elle.

HM prend la main de Pascale et l'entraîne dans le tunnel derrière Mme Friselis. Nous les suivons.

> ## À quoi les chauves-souris s'accrochent-elles?
> #### par Jérôme
> Les chauves-souris aiment se suspendre dans le noir dans des endroits tranquilles. Certaines choisissent des cavernes. D'autres se logent dans les arbres, les granges ou les greniers.

L'endroit n'est vraiment pas rassurant. Nos lampes de poche font de petits cercles de lumière sur les parois du tunnel. Autrement, tout est noir. L'air est humide et beaucoup plus frais. J'ai la chair de poule.

Le tunnel s'élargit et nous nous retrouvons au plus profond de la caverne.

— Ouache! s'exclame Carlos. Qu'est-ce que c'est que ce truc par terre?

— C'est du guano de chauve-souris, dit HM. Heureusement que nous avons des bottes.

— Ça, tu peux le dire! dit Carlos.

Qu'est-ce que le guano de chauve-souris?

par Carlos

On donne le nom de " guano " aux crottes de chauve-souris. On s'en sert comme engrais pour les plantes. Le guano de chauve-souris est riche en azote, une substance chimique qui favorise la croissance des plantes.

— Ah, j'ai l'impression que nous sommes dans le dortoir des chauves-souris, dit Mme Friselis.

Elle lève la tête, et la lampe de son casque illumine le plafond.

Il est couvert de chauves-souris : des centaines de chauves-souris suspendues la tête en bas.

— Oh, oh! s'exclame Mme Friselis. Ces chauves-souris grises font partie d'une espèce menacée.

Certaines n'ont pas encore atteint l'âge adulte. Ce doit être une pouponnière. Ne restons pas ici.

Nous ne savons pas pourquoi Frisette est aussi troublée, mais nous la suivons à l'extérieur de la pouponnière. Tout à coup, j'ai une idée. Il ne faut que quelques secondes pour prendre une photo. Je dépose ma lampe de poche et je vise le plafond avec mon appareil-photo.

Clic! Le flash s'actionne quand j'appuie sur le bouton.

Certaines chauves-souris commencent à battre des ailes. Le flash a dû les réveiller! Je me retourne et je cours vers la sortie.

Oh non! Ma lampe de poche est restée dans la caverne! Je n'y vois rien. Après quelques pas, je heurte une paroi. Comme je ne sais plus de quel côté tourner, je fais la première chose qui me vient à l'esprit : crier.

— Au secours! Au secours!

Au secours! Au secours! répond l'écho.

Personne ne vient. Je suis tout seul dans une caverne pleine de chauves-souris.

CHAPITRE 4

Je suis perdu au fond d'un tunnel sombre et j'ai de plus en plus froid. Je continue à crier, mais ma voix se perd. Où est donc Mme Friselis?

Enfin, j'aperçois une lueur dans le noir. La lumière devient de plus en plus vive. Je crie : « Madame Friselis! »

— Raphaël! dit-elle. Qu'est-ce que tu fais?

— J'ai pris une photo des chauves-souris. Mais le flash les a réveillées et j'ai eu peur qu'elles m'attaquent. J'ai laissé ma lampe de poche là-bas.

— Tu les as probablement effrayées, pour vrai, dit Mme Friselis. Il faut sortir d'ici. Suis-moi.

Tout le monde nous attend à l'extérieur de la caverne. Je suis vraiment heureux de revoir toute la bande!

— Raphaël a fait une erreur, dit Mme Friselis. Vous comprenez, les chauves-souris grises ont leurs petits seulement une fois par an. Raphaël a peut-être effrayé des mères, ou a causé la chute des nouveau-nés, ce qui pose un problème pour cette colonie. En fait, les chauves-souris grises sont l'une des espèces de mammifères les plus menacées du monde.

— Vous voulez dire que l'espèce est menacée d'extinction? demande Thomas. Pourquoi?

— Les chauves-souris grises s'abritent dans les cavernes, dit Mme Friselis. Mais un grand nombre de cavernes ont été détruites. Les gens utilisent les terres à d'autres fins, pour construire des maisons, par exemple.

— Les chauves-souris ne peuvent pas tout simplement déménager dans d'autres cavernes comme celle-ci? demande Catherine.

— Tôt ou tard, il n'y aura plus assez de cavernes, explique Mme Friselis. C'est pourquoi les scientifiques essaient de protéger les cavernes. En fait, il y a une barrière à l'entrée de la plupart des abris de chauves-souris grises et un panneau qui demande aux gens de ne pas entrer. La loi interdit d'y entrer. Elle s'arrête, songeuse.

Pourquoi les chauves-souris sont utiles?
par Thomas

Les chauves-souris sont importantes parce qu'elles mangent des tonnes d'insectes nuisibles aux animaux, aux récoltes et aux gens. Certaines pollinisent les fleurs en mangeant et favorisent ainsi la croissance de nouvelles plantes.

— Hum! dit-elle au bout d'un moment. Ça m'étonne que cette caverne soit toujours ouverte. Il faudra que j'en parle au Service de la faune.

Je me sens coupable. Je ne voulais pas nuire aux chauves-souris.

— Je voulais simplement prendre quelques bonnes photos pour ajouter à mon album, dis-je à Mme Friselis.

— Une grappe de chauves-souris grises endormies, ça ne fait pas une photo très excitante, dit Jérôme. Il faudrait prendre une photo d'une chauve-souris féroce en plein vol avec sa bouche grande ouverte pour que tu puisses voir ses dents pointues. *Ça*, ça serait quelque chose!

— C'est tout à fait naturel pour une chauve-souris de voler la bouche ouverte, souligne Mme Friselis. Elles ne sont pas féroces du tout. Elles ont recours à l'écholocation pour te « voir ». La plupart des chauves-souris émettent des signaux sonores par la bouche.

— Je ne savais pas, dit Pascale. Mais j'ai vu beaucoup de photos de chauves-souris dans les livres, et un grand nombre d'entre elles montrent férocement les dents.

— Tu le ferais aussi si quelqu'un essayait de te capturer pour te prendre en photo. La chauve-souris est simplement effrayée et essaie de se défendre, ajoute Mme Friselis.

— C'est vrai, ajoute HM. C'est ce que fait Tigré, mon petit chat, quand un autre chat s'approche. Il rabat ses oreilles vers l'arrière, montre les dents et crache. Il a l'air féroce, mais en général il ne ressemble pas à ça.

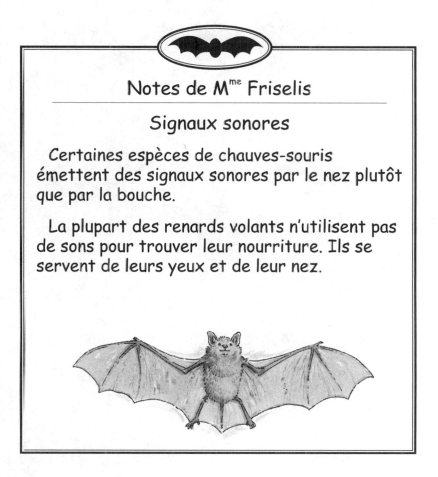

Notes de Mme Friselis

Signaux sonores

Certaines espèces de chauves-souris émettent des signaux sonores par le nez plutôt que par la bouche.

La plupart des renards volants n'utilisent pas de sons pour trouver leur nourriture. Ils se servent de leurs yeux et de leur nez.

— Est-ce qu'il y a d'autres ressemblances entre les chauves-souris et les chats? demande Thomas.

— Le mot souris? plaisante Catherine.

— Très drôle. Cherche encore, répond Thomas.

— Bon, alors ils ont tous les deux de la fourrure, dit Catherine.

— Oui, répond Thomas, mais ce n'est pas tout. Comme les chats, les chauves-souris font leur toilette en léchant leurs poils. Ce sont des animaux très propres.

Mme Friselis regarde sa montre.

— Il se fait tard, dit-elle. Retournons à l'hélico-bus. Nous devrions déjà être en Californie.

— Attendez! dis-je. Laissez-moi prendre quelques photos devant la caverne.

Tout le monde se place devant l'entrée.

— Faisons semblant d'être des chauves-souris grises! propose Kisha. Les enfants s'accroupissent, tendent les bras et ouvrent la bouche.

Clic! Encore une bonne photo pour mon album. Ensuite, Thomas me prend en photo.

— Venez les enfants! lance Mme Friselis depuis la cabine de pilotage.

Nous grimpons dans l'hélico-bus et décollons dans un nuage de poussière tourbillonnant.

En un rien de temps, l'hélico-bus redevient un avion et... cap sur la Californie!

CHAPITRE 5

L'autobus volant négocie un virage serré et amorce sa descente. Nous apercevons plus bas les pics enneigés des montagnes au-dessus des vallées vertes. Les cours d'eau ressemblent à des rubans brillants qui serpentent dans la vallée.

C'est le parc national Yosemite!

— Prêts pour l'atterrissage? lance Frisette.

Elle appuie sur un bouton du tableau de bord. L'avion redevient un hélicoptère.

Mme Friselis pose l'hélico-bus dans la vallée, près d'un stationnement. Nous descendons et admirons le paysage. Tout autour de nous se dressent des montages gigantesques. L'une d'elles semble avoir été coupée au sommet. On peut apercevoir trois chutes qui tombent le long des hautes falaises de pierre.

— La grosse, là-bas, doit être la chute Yosemite, dit HM. C'est la plus haute chute du pays.

Maintenant, je suis vraiment content d'avoir apporté mon appareil-photo. Je commence à photographier avec frénésie.

— Garde-toi un peu de pellicule pour plus tard, Raphaël, dit HM. Il y a tout plein de paysages fabuleux ici.

Un homme vêtu d'un uniforme vert et d'un chapeau à large bord s'approche de nous.

— Bienvenue à Yosemite, Madame Friselis, dit-il. J'ai reçu votre courriel. Tout est prêt pour ce soir.

— Les enfants, je vous présente Mike, le garde forestier, dit Mme Friselis. Il sera notre guide.

Le garde Mike nous sourit.

— Bonjour tout le monde. Je suis très heureux de faire votre connaissance.

— Merci d'être venu à notre rencontre, Monsieur le garde, dit Mme Friselis. Nous sommes enchantés d'être ici. Maintenant, si vous voulez bien nous montrer où sont les oreillards maculés!

Elle se dirige vers l'endroit où l'hélico-bus a atterri. Revoici notre autobus scolaire! C'est bon de le revoir sous sa forme normale.

— Juste au moment où je commence à m'amuser, gémit Pascale. J'ai presque oublié pourquoi nous sommes venus.

— Eh bien, je sais que Mme Friselis tient à voir les oreillards maculés, nous dit le garde Mike. Mais je ne peux pas vous promettre que nous en trouverons. Il est impossible de savoir quelle espèce de chauve-souris nous capturerons ce soir quand nous tendrons nos filets japonais.

— Qu'est-ce qu'un filet japonais? demande Catherine.

— Vous verrez, dit le garde Mike en montant dans sa jeep. En route, Madame Friselis! lance-t-il. Suivez-moi.

L'autobus suit la jeep le long d'une route qui tourne et tourne et monte toujours plus haut dans la montagne. Nous quittons bientôt la route principale et empruntons un sentier qui s'enfonce dans les bois. Les pins forment une charmille au-dessus de nos têtes.

Nous nous arrêtons dans une clairière, près d'une rivière qui semble aussi lisse que du verre.

— Nous voici chez nous! s'écrie Mme Friselis. Quel endroit merveilleux pour camper!

Nous descendons de l'autobus et regardons autour de nous.

— Où sont les cabanes? demande Jérôme. Où sont les lits? Il n'y a rien d'autre ici que de l'herbe et des arbres.

Mme Friselis sait bien que Jérôme n'aime pas toujours vivre à la dure. Oups, je crois que je me suis mal exprimé. Jérôme *déteste* vivre à la dure.

— Ne crains rien, l'autobus est toujours là! dit-elle.

Elle presse un levier sur le devant de l'autobus. Instantanément, les côtés glissent et notre autobus se transforme en une cabane en rondins.

Nous courons à l'intérieur.

— Comme c'est chouette! clame Catherine en voyant l'énorme sofa devant le poêle à bois.

À l'autre bout du bus-cabane, il y a des lits superposés recouverts de couvertures de laine rouges.

— Il y a même une salle de bain! s'exclame Jérôme.

Cela correspond exactement à sa vision du camping : tout le confort de la maison.

CHAPITRE 6

Le garde Mike monte sa tente juste à côté de l'autobus.

— Il vaut mieux commencer à installer les filets dès maintenant, Madame Friselis, dit-il. Il entre sous sa tente et y reste quelques minutes. Il en ressort, chaussé de longues bottes noires qui lui montent jusqu'aux hanches.

Mme Friselis a, elle aussi, chaussé de longues bottes. Mais les siennes sont décorées de chauves-souris rouges.

— Nous avons besoin de ce genre de bottes, explique Mike, parce que nous aurons à entrer dans la rivière. L'eau est plutôt froide en cette période de l'année.

Le garde déplie un carré de filet noir fin. On dirait un énorme filet à cheveux.

— On appelle ceci un « filet japonais » parce qu'il a été inventé au Japon, explique le garde.

Mme Friselis s'empare de deux longs poteaux et s'avance dans la rivière. En compagnie du garde Mike, elle tend deux minces filets au travers de la rivière. Un des filets est plus haut que l'autre. Les deux sont pratiquement invisibles.

— Les filets se trouvent juste au-dessus de l'endroit où les chauves-souris viennent chasser les insectes, explique le garde Mike.

— Vous voulez dire que les chauves-souris vont voler directement dans les filets et être capturées? demande Thomas.

— Nous capturerons certaines chauves-souris parce que leur sonar ne repérera pas le filet assez rapidement, dit le garde Mike. Le filet ne leur fera aucun mal, et c'est la seule façon pour les scientifiques de voir où vivent les différentes espèces de chauves-souris. Elles sont identifiées et recensées, et ensuite relâchées.

— Pourquoi y a-t-il deux filets? demande Catherine.

— Certaines espèces volent bas, et d'autres volent plus haut, lui répond le garde Mike. L'oreillard maculé, par exemple, vole haut. Il nous faut donc placer un filet plus haut si nous voulons l'attraper. Dans le filet du bas, nous capturerons probablement d'autres espèces, comme la chauve-souris de Yuma. C'est l'une des chauves-souris les plus communes de la région. Mais il est possible que nous puissions capturer d'autres espèces. Yosemite compte 15 espèces de chauves-souris.

— En ce qui me concerne, c'est 15 de trop, dit Pascale. Est-ce que je peux me retirer?

HM s'approche d'elle et lui dit : « Ne crains rien, Pascale, les chauves-souris ne nous embêteront pas. »

Juste à ce moment-là, une cloche retentit.

— À table! lance Mme Friselis.

Elle porte un nouveau costume orné de chauves-souris et elle a allumé un feu de camp au bord de la rivière.

— Un pique-nique! dit Carlos.

— Hot-dogs, hamburgers, fèves au lard et croustilles! s'écrie Jérôme. Parfait!

Tout le monde apprécie le repas en plein air, même Pascale. Au coucher du soleil, nous faisons griller des guimauves, assis autour du feu.

— Aïe! Je crie en portant la main à mon cou. Des moustiques!

— Moi aussi, j'ai été piquée, ajoute Catherine. Je déteste les moustiques!

Le garde Mike regarde vers la rivière. Il fait maintenant presque noir.

— Les insectes sont sortis, dit le garde. Les chauves-souris vont maintenant se réveiller.

— Est-ce que maintenant, je peux me retirer? demande Pascale.

— Mais l'aventure ne fait que commencer, lui répond Mme Friselis. Voici vos lunettes de nuit. Elles vous permettront de voir dans le noir.

Chouette! Avec ces lunettes spéciales, je peux voir presque comme en plein jour.

— J'ai l'impression qu'il y en a une dans le filet! dit le garde Mike. Il entre dans la rivière et en ressort avec quelque chose dans les mains.

— C'est une jeune chauve-souris de Yuma, dit-il.

— Une chauve-souris, ça? dit Pascale. Ça ressemble plus à une boule de coton brune.

— C'est bien une chauve-souris, dit le garde en tirant délicatement sur les ailes pour nous permettre d'en observer la forme.

— Les ailes de la chauve-souris ressemblent à nos mains, avec un pouce et des doigts, explique le garde. Quelquefois, les chauves-souris utilisent leurs ailes pour attraper des insectes. Elles les piègent contre leur corps, et elles les mangent.

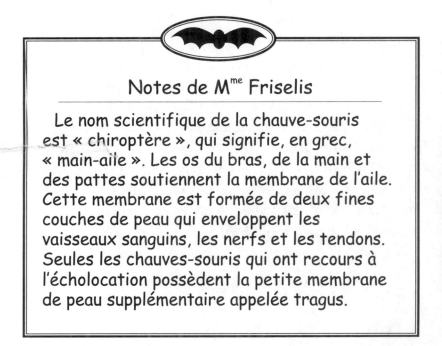

Notes de Mme Friselis

Le nom scientifique de la chauve-souris est « chiroptère », qui signifie, en grec, « main-aile ». Les os du bras, de la main et des pattes soutiennent la membrane de l'aile. Cette membrane est formée de deux fines couches de peau qui enveloppent les vaisseaux sanguins, les nerfs et les tendons. Seules les chauves-souris qui ont recours à l'écholocation possèdent la petite membrane de peau supplémentaire appelée tragus.

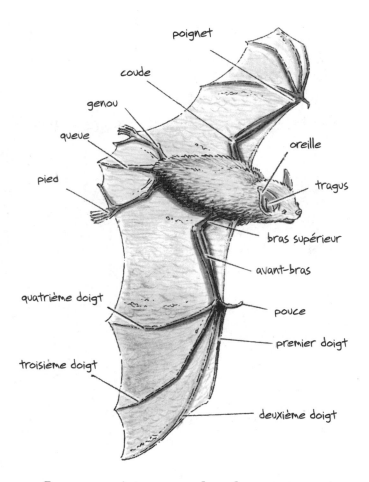

poignet

coude

genou

queue

oreille

pied

tragus

bras supérieur

avant-bras

quatrième doigt

pouce

premier doigt

troisième doigt

deuxième doigt

— Je ne savais pas que les chauves-souris avaient des doigts et des pouces, s'étonne Pascale.

— Les chauves-souris sont des créatures étonnantes, répond le garde Mike. Plus on les connaît, plus on les aime.

Il replace la petite chauve-souris de Yuma dans le creux de ses mains. Puis, il lève les bras.

— Je la laisse partir maintenant, dit-il. Allons voir s'il y a autre chose dans nos filets.

Il ouvre les mains, et la petite chauve-souris s'envole dans la nuit.

CHAPITRE 7

Debout au bord de la rivière, les élèves observent les chauves-souris voler dans toutes les directions.

— Ces lunettes sont super, dit Kisha. Regardez avec quelle rapidité les chauves-souris piquent droit sur les insectes.

— C'est grâce à leur sonar! dit Mme Friselis.

La plupart des chauves-souris foncent à côté des filets japonais ou par-dessus, mais, quelquefois, il y en a une qui se fait prendre.

— En voici une brune, lance le garde Mike tout en libérant du filet une chauve-souris récalcitrante.

— Je ne la trouve pas bien grosse, dit Carlos lorsque le garde nous montre la créature couverte de duvet brun, collée à son gant.

— En fait, c'est une chauve-souris de taille moyenne, nous dit le garde. Elle est plus grosse que sa cousine, la petite chauve-souris brune. Avec ses ailes repliées de cette façon, elle paraît petite. Mais, en vol, l'envergure des ailes atteint plus de 30 centimètres.

— Il y a de grosses chauves-souris brunes dans ma région, dit HM. Je n'en ai jamais vu, mais les gens qui habitent un peu plus loin dans la rue en ont déjà eu une dans leur grenier, en été.

— Ce n'est pas étonnant, HM, ajoute le garde Mike. Les chauves-souris brunes, grosses et petites, sont courantes. On en trouve dans les 48 états continentaux des États-Unis et au Canada.

Nous venons à peine de libérer la grosse chauve-souris brune quand nous constatons qu'il y a de plus en plus d'action dans les filets.

— Oh là là! Regardez! s'écrie Kisha. Nous nous retournons brusquement et apercevons une créature volante avec des ailes énormes, de près de 60 centimètres de large, qui vole au-dessus de la rivière. Une seconde plus tard, elle semble s'arrêter en plein ciel. Elle est prise dans notre grand filet japonais.

Comment trouver un insecte?

par Kisha

Pendant son vol, la chauve-souris émet une série d'ultrasons. À mesure qu'elle se rapproche de l'insecte, les sons se font plus rapides. C'est parce que les ondes d'ultrasons rebondissent sur l'insecte et reviennent aux oreilles de la chauve-souris plus rapidement si la distance diminue.

— C'est un oiseau? demande Pascale.

— Ne crains rien, Pascale, dit Mme Friselis. À cette heure, les oiseaux dorment. Sauf erreur, notre visiteuse porte une fourrure et non des plumes.

— Vous avez raison, Madame Friselis, dit le garde Mike. C'est une chauve-souris, et pas n'importe laquelle! Je vous présente le mastiff occidental, la plus grosse chauve-souris des États-Unis.

Pascale commence à battre en retraite, mais HM l'attrape par la main.

— Viens, Pascale. Ce serait bête de manquer ça.

Le garde Mike tient délicatement, mais fermement la chauve-souris dont le corps est presque aussi long que sa main.

— Elle ressemble à un chien! dit Carlos. Bizarre.

— C'est pour ça qu'on l'appelle mastiff, du nom d'une race de chien, précise le garde Mike.

— Est-ce qu'elle mord? demande Pascale.

— Seulement pour se défendre, explique le garde. Mais il vaut mieux ne pas trop s'approcher des chauves-souris. Certaines ont des mâchoires puissantes et peuvent infliger de vilaines morsures.

— Ça veut dire qu'on peut mourir! s'écrie Pascale. Les chauves-souris sont porteuses d'une terrible maladie qu'on appelle la « rage ». C'est ce que j'ai entendu dire.

— C'est vrai, certaines chauves-souris sont porteuses de la rage, ajoute HM. Mais la plupart sont en bonne santé. Les mouffettes et les renards sont plus susceptibles d'avoir la rage que les chauves-souris.

— C'est vrai, ajoute le garde Mike. Mais, même si on ne risque guère d'être attaqué par une chauve-souris, il ne faut jamais essayer d'en saisir une, ni aucun autre animal sauvage, d'ailleurs. Il vaut mieux laisser ça aux experts comme moi.

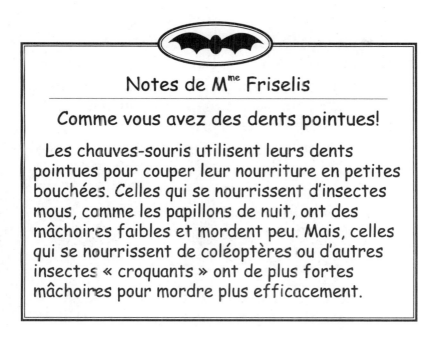

Notes de Mme Friselis

Comme vous avez des dents pointues!

Les chauves-souris utilisent leurs dents pointues pour couper leur nourriture en petites bouchées. Celles qui se nourrissent d'insectes mous, comme les papillons de nuit, ont des mâchoires faibles et mordent peu. Mais, celles qui se nourrissent de coléoptères ou d'autres insectes « croquants » ont de plus fortes mâchoires pour mordre plus efficacement.

Le garde Mike doit grimper sur un rocher pour libérer le mastiff.

— Il lui faut une hauteur d'au moins deux mètres pour s'envoler, explique-t-il.

Il tient la chauve-souris le plus haut possible et la lâche. La chauve-souris se laisse tomber, puis s'envole en ouvrant ses énormes ailes.

Il commence à se faire très tard, et nous n'avons toujours pas aperçu un de ces oreillards maculés qui intéressent tant Mme Friselis.

— J'espère que cette chauve-souris va se montrer bientôt, dit Catherine en bâillant. Je ne crois pas pouvoir rester éveillée encore bien longtemps.

— Il est possible que la chauve-souris ne se montre pas du tout, Catherine, dit le garde Mike.

Peu de gens ont pu apercevoir un oreillard maculé, et nous ne savons pas grand-chose de ses habitudes. On pense qu'il vit sur les falaises près de nos rivières et de nos lacs. Nous en avons attrapé un ici, à Yosemite, il y a quelques années.

— C'est une grosse chauve-souris? demande Catherine.

— À peu près de la même taille que la grosse chauve-souris brune, répond le garde. Elle se nourrit principalement de papillons de nuit, et sa voix est différente de celle des autres chauves-souris. Les gens sont plus susceptibles de l'entendre que de la voir.

— L'entendre? demande Kisha. Je croyais qu'on ne pouvait pas entendre les chauves-souris.

— On ne peut pas entendre les chauves-souris qui utilisent les ultrasons, explique le garde. Mais certaines chauves-souris, comme l'oreillard maculé, produisent des sons moins aigus. Les gens peuvent très bien les entendre.

— Est-ce que le cri de l'oreillard maculé ressemble à *ceci*? demande Mme Friselis.

Nous restons tous immobiles et écoutons, essayant d'entendre ce que Mme Friselis a entendu. Au début, nous n'entendons rien. Puis, un *tic, tic, tic, tic* rude et aigu.

— C'est lui! murmure le garde Mike. C'est l'oreillard maculé!

— Où ça? Où ça?

Nous nous tournons tous en direction du bruit et observons le ciel le plus attentivement possible avec nos lunettes spéciales.

Mme Friselis s'approche du bord de la rivière et tire un petit sac en filet de la poche arrière de son drôle de costume. Elle l'ouvre, et une nuée de papillons argentés s'en échappe. Ils semblent clignoter comme des lucioles dans la nuit.

En un instant, la forme sombre d'une chauve-souris s'approche. L'oreillard maculé vole au-dessus de nos têtes, et nous pouvons apercevoir son ventre blanc. La chauve-souris attrape plusieurs papillons et s'apprête à en capturer d'autres lorsqu'elle fonce droit dans notre filet japonais.

 CHAPITRE 8

— Incroyable! s'exclame le garde Mike.

Il avance dans l'eau froide et s'empare délicatement de la prise.

— Eh bien, Madame Friselis, dit-il en revenant sur le rivage avec la chauve-souris, nous sommes chanceux ce soir.

Nous nous précipitons pour admirer la petite bête. Même Pascale se montre assez brave pour aller regarder cette prise rare.

— Où sont les taches? demande HM.

Le garde Mike retourne la chauve-souris pour nous permettre de voir la fourrure de son dos.

Trois petites taches blanches brillent sur sa fourrure noire.

— Regardez ces oreilles de lapin, dit Carlos. Exactement comme sur les photos que Mme Friselis nous a montrées.

Le garde Mike caresse la longue fourrure. « J'ai lu quelque part que certains oreillards maculés n'aiment pas qu'on le tienne. Mais ça ne semble pas poser de problèmes à celui-là », dit-il.

Sans même m'en rendre compte, je m'approche et je touche du doigt le dos de la chauve-souris! C'est *vraiment* duveteux.

— Raphaël! s'écrie Catherine. Tu as touché une chauve-souris!

— Allons, ça ne fait pas mal, dis-je.

Je commence à caresser la chauve-souris avec *deux* doigts. Elle a l'air de m'aimer. Elle a deux longues oreilles, comme un lapin. Je vais l'appeler Otite.

— À mon tour, dit Carlos. J'aime ses oreilles roses.

— Pour cette fois seulement, dit le garde Mike. On ne pourrait pas faire la même chose avec tous les animaux sauvages, mais Otite semble aimer ça.

Les enfants s'approchent un par un, pour toucher la petite bête.

HM et Pascale sont les dernières.

— Toi la première, dit Pascale.

HM caresse la chauve-souris.

— Tu vois, elle est gentille. Vas-y, touche-la, Pascale. Tu verras, c'est étonnant.

— Pascale n'osera jamais, lance Thomas. Elle a la phobie des chauves-souris.

— Ce n'est pas vrai, répond Pascale. Et puis, je ne sais même pas ce que c'est qu'une phobie.

— Ça veut dire que tu as peur des chauves-souris, lui dit Carlos.

— Ah oui? Pascale prend une grande inspiration et tend la main vers Otite.

— Attends! lui dis-je. Il faut absolument prendre ça en photo!

Je cours chercher mon appareil dans l'autobus.

Pascale touche Otite et pousse un petit cri. Et elle sourit ensuite à pleines dents. J'appuie sur le bouton. *Clic!* Une superbe photo de plus pour mon album!

— J'aime bien Otite, dit Pascale. Est-ce qu'on peut la ramener à l'école avec nous, Madame Friselis? Elle pourrait être le petit animal de notre classe. Ce serait amusant d'avoir un lézard *et* une chauve-souris.

— J'aimerais que ce soit possible, Pascale, dit Mme Friselis, mais comme le dit ma cousine Béatrice : « Un animal sauvage ne connaît de joies pures que dans la nature! » Otite a besoin de grands espaces pour survivre. Et elle donne à l'animal une caresse extraspéciale.

— Et ce n'est pas tout, les enfants, ajoute le garde Mike. Cette chauve-souris est trop importante pour la nature, pour qu'on puisse penser un seul instant l'éloigner de sa demeure. Les oreillards maculés sont considérés comme des animaux « rares » par le gouvernement et ont besoin d'une protection spéciale. Je n'aurais jamais cru en voir un d'aussi près.

— C'est vrai, ce serait dommage d'éloigner Otite d'un endroit aussi magnifique, dit Pascale.

— Je suis certain qu'il sera heureux de retrouver sa falaise, ajoute le garde.

Le garde Mike soulève Otite le plus haut possible. La chauve-souris prend son envol, les oreilles pointées vers l'avant.

— Au revoir, Otite, crions-nous à l'unisson, en agitant la main jusqu'à ce qu'elle soit hors de vue.

CHAPITRE 9

Après le départ d'Otite, Mme Friselis et le garde Mike commencent à retirer les filets japonais. Nous nous dirigeons vers les confortables lits superposés dans l'autobus et nous nous enveloppons dans les couvertures de laine rouges.

Il me semble que je viens à peine de m'endormir lorsque le soleil pénètre dans l'autobus et me réveille.

— Debout, là-dedans, lance Mme Friselis. Il est presque midi. Vous devez être affamés.

Mme Friselis nous a préparé un énorme dîner : hot-dogs, hamburgers, fèves au lard et croustilles. *Miam*. Un repas aussi délicieux que celui de la veille.

— Amusons-nous un peu maintenant, dit Mme Friselis. Le garde Mike a une surprise pour vous.

Un canot pneumatique orange vif avec un moteur nous attend sur la rivière.

— Prenez chacun un gilet de sauvetage, lance Mike, et montez à bord!

— Chouette! s'exclame HM.

Nous montons à bord, et le garde Mike lance le moteur. *Wow!* Nous filons sur la rivière comme sur un nuage.

Nous nous arrêtons au pied d'une chute et grimpons jusqu'au sommet de la falaise. Je prends une photo du garde Mike avec le reste de la classe. *Clic!* Encore une super photo pour mon album.

— C'est amusant en fin de compte, avoue Jérôme.

— Super! ajoute Pascale.

Difficile de croire que la journée tire à sa fin.

Le garde Mike nous ramène à l'autobus. « Bon retour, dit-il. Je suis très heureux de votre visite. Au revoir et passez un bel été! » Il monte dans sa jeep et s'éloigne sur la route.

— Tout le monde à l'autobus! lance Mme Friselis. Le véhicule semble se mettre à tourner comme une toupie et se transforme à nouveau en hélicoptère.

Mme Friselis appuie sur les boutons du tableau de bord et nous décollons. Un instant plus tard, l'hélicoptère redevient un avion, et nous survolons les pics enneigés de Yosemite en nous dirigeant vers l'est.

Peu de temps après, le compteur de chauves-souris commence à émettre des sons avec frénésie.

— Préparez-vous! lance Frisette, depuis la cabine de pilotage. Nous allons faire un arrêt supplémentaire.

— Qu'est-ce qui se passe? demande Jérôme.

— J'ai l'impression que nous allons voir d'autres chauves-souris, dis-je.

Et c'est exactement ça qui arrive.

Nous atterrissons peu après dans le terrain de stationnement d'une grande ville. Frisette surgit de la cabine de pilotage vêtue d'un chapeau de cow-boy et de bottes.

— Bienvenue au Texas, l'État le plus riche en chauves-souris. Mme Friselis tend à chacun un chapeau de cow-boy. Aucun autre État n'abrite un si grand nombre d'espèces de chauves-souris : 32, au dernier recensement. Nous sommes à Austin, la capitale, un endroit très spécial pour les chauves-souris. Vous verrez ce que je veux dire.

Nous suivons Mme Friselis jusqu'à un pont au milieu de la ville bruyante. C'est le coucher du soleil, et une foule de personnes se tiennent le long des garde-fous. On dirait qu'elles attendent quelque chose.

À mesure que le soleil décline, les nuages tournent au mauve foncé. Quelques chauves-souris surgissent d'en dessous du pont, et il y en a bientôt des dizaines. Quelques-unes volent en rond juste au-dessus de nos têtes. En quelques minutes, le ciel se remplit de centaines, de milliers de chauves-souris!

— Les enfants, ce sont des molossidés du Mexique, nous dit Mme Friselis. Chaque été, il en vient un million du Mexique, qui choisissent d'avoir leurs petits sous ce pont. Les habitants d'Austin sont toujours heureux de les revoir. Et ne craignez pas les moustiques : les chauves-souris mangent entre 8 000 et 10 000 kilos d'insectes en une seule nuit!

— On peut dire que les chauves-souris sont vraiment nos amies, dit Pascale, et ce n'est pas un mythe.

Je vérifie mon appareil-photo. Il ne reste plus qu'une pose. Je vise le nuage de créatures ailées qui planent au-dessus des nuages mauves et *clic!*

Encore une superbe photo pour mon album.

Aidons les chauves-souris
par Pascale

Chaque année, des centaines de chauves-souris sont tuées par les pesticides, les poisons ou par geste gratuit. S'il y a moins de chauves-souris, il y aura davantage d'insectes; plus il y a d'insectes, plus il y a de maladies, et plus il y aura de dommages causés aux récoltes qui fournissent les aliments que nous mangeons. Nous devons tous faire notre part pour protéger les chauves-souris qui volent et chassent la nuit.

Nous sommes bientôt de retour dans l'autobus volant, en route vers la maison.

— J'ai hâte de voir toutes les photos que tu as prises, Raphaël, dit Catherine.

— Moi aussi. Je les apporterai en classe dès que je les aurai fait développer.

Quelques jours plus tard, j'entre dans la classe de Mme Friselis avec mon album de photos sous le bras. Tout le monde s'approche.

— Regardez, nous voici à la caverne de la chauve-souris grise! dit Thomas. J'espère qu'ils ont installé une barrière.

— J'aime bien celle où l'on voit le garde Mike installer le filet japonais, dit Catherine. Quel homme charmant!

C'est facile de savoir quelle photo Pascale préfère.

— Oh, me voici avec Otite, dit-elle. Je n'oublierai jamais ce petit oreillard maculé.

Je sais qu'il en va de même pour nous tous.

Trouve les RÉPONSES

Les élèves de Mme Friselis ont appris beaucoup de choses sur les chauves-souris au cours de leur voyage à Yosemite. Mais ils ont encore quelques questions à poser à leur retour en classe.

Voici leurs questions, et les réponses.

1. Jérôme :
En moyenne, combien de temps une chauve-souris vit-elle?

Les chauves-souris ont une espérance de vie plus grande que les autres mammifères de même taille. Les petits rongeurs, comme les souris, ne vivent qu'un an ou deux. Si elles survivent à leur premier hiver, certaines chauves-souris peuvent vivre de très nombreuses années. Leur longévité moyenne est d'environ 15 ans. Certaines vivent jusqu'à 20 ans et d'autres même jusqu'à 30 ans!

2. Hélène-Marie :

Est-ce que toutes les chauves-souris vivent en colonie?

Non. Bien des espèces de chauves-souris vivent et se nourrissent en groupe de quelques-unes à quelques centaines. Mais certaines autres espèces, par exemple la chauve-souris rousse et la chauve-souris cendrée, vivent seules. Elles chassent et dorment seules dans les arbres. Elles se regroupent pendant la période de reproduction. Ensuite, les mères restent ensemble pour s'occuper des petits. Certaines espèces qui passent l'été dans les régions du Nord peuvent regagner le Sud en hiver.

3. Pascale :

Dans une grande colonie, comment une mère peut-elle reconnaître ses petits?

Les nouveau-nés restent accrochés au corps de leur mère jusqu'à ce qu'ils aient atteint la moitié de leur taille. Ensuite, ils s'accrochent à ses côtés jusqu'à ce qu'ils soient prêts à voler de leurs propres ailes. S'ils sont séparés, les petits émettent un SOS spécial. Ils appelleront jusqu'à ce que leur mère vienne. La mère reconnaît ses petits à leur voix et à leur odeur.

4. Carlos :

À quelle vitesse peut voler une chauve-souris?

Un molossidé du Mexique peut voler à 60 km à l'heure, mais le record appartient à la grosse chauve-souris brune, qui peut filer jusqu'à 65 km à l'heure.

Les chauves-souris rapides peuvent couvrir une grande distance. Certains molossidés ont parcouru 135 km en deux nuits. C'est presque 70 km en une nuit!

5. Catherine :

Les humains ne peuvent pas entendre les signaux sonores d'une chauve-souris, mais les autres chauves-souris le peuvent. Ces signaux se font-ils entendre clairement?

Les ultrasons produits par la plupart des chauves-souris leur semblent aussi stridents que le son d'un détecteur de fumée en pleine action! Heureusement, la chauve-souris a des muscles spéciaux qui l'empêchent d'entendre les sons qu'elle produit. Si elle n'avait pas ces muscles pour la protéger, elle se rendrait sourde.

6. Kisha :

Comment puis-je attirer dans mon jardin une chauve-souris mangeuse d'insectes?

Depuis les années 1980, des milliers d'Américains et de Canadiens ont fabriqué des cabanes à chauves-souris en bois pour les attirer dans les parcs, les forêts et les jardins. Une cabane à chauves-souris qui fait à peine 60 cm de hauteur et de largeur, et 12 à 15 cm de profondeur, peut attirer et héberger entre 200 et 300 chauves-souris à la fois!

Cabane à chauves-souris

Vue de côté

Plate-forme d'atterrissage

Tu peux acheter une cabane à chauves-souris ou en fabriquer une toi-même.